ANIMAUX

ANITA GANERI

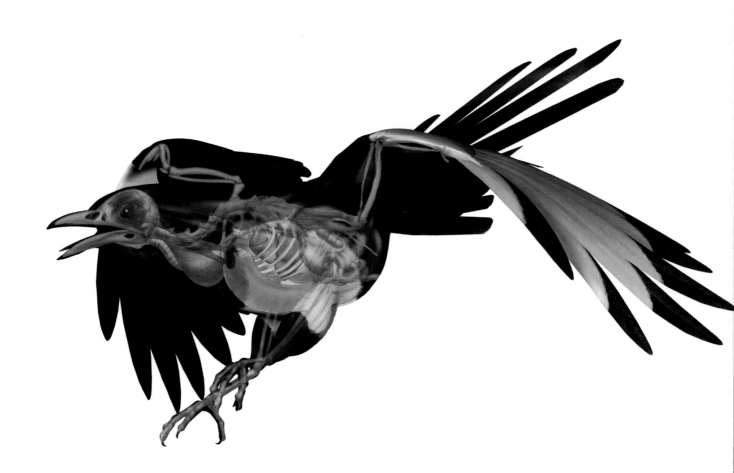

Catalogage avant publication de Bibliothèque et Archives nationales du Québec et Bibliothèque et Archives Canada

Ganeri, Anita, 1961-

Animaux

(Rayons-X)
Traduction de: The inside & out guide to animals.
Comprend un index.
Pour les jeunes de 7 à 14 ans.
ISBN 978-2-89000-882-3

1. Anatomie - Ouvrages pour la jeunesse. 2. Animaux - Ouvrages pour la jeunesse. I. Titre.

QL806.5.G3514 2007   j571.3'1   C2007-940983-0

Pour l'aide à la réalisation de son programme éditorial, l'éditeur remercie:
Le Gouvernement du Canada par l'entremise du Programme d'Aide au Développement de l'industrie de l'Édition (PADIÉ); La Société de Développement des Entreprises Culturelles (SODEC); L'Association pour l'Exportation du Livre Canadien (AELC). Le Gouvernement du Québec - Programme de crédit d'impôt pour l'édition de livres - Gestion SODEC.

Pour l'édition en langue anglaise:
Copyright © David West Children's Books 2007

Création: Rob Shone
Illustrations: Moorhen Studios
Direction: Dominique Crowley et Gail Bushnell
Recherche d'images: Victoria Cook
Conseiller: Steve Parker

Pour l'édition en langue française:
Traduction: Valérie Piquette
Révision: Marcel Broquet
Infographie: Chantal Greer, Sandra Martel

Copyright © Broquet inc., Ottawa 2007
Dépôt légal — Bibliothèque nationale du Québec
2ᵉ trimestre 2007

ISBN 978-2-89000-882-3

Imprimé en Malaisie

MENTIONS DE SOURCE:
Abréviations: h-haut, m-milieu, b-bas, d-droite, g-gauche, c-centre
Pages 4h, 17h, 19h, 24h, 25h, 27h Oxford Scientific; 15h, istockphoto.com

Une explication des termes difficiles se trouve dans le glossaire des pages 30 et 31.

ANIMAUX

ANITA GANERI

TRADUCTION : VALÉRIE PIQUETTE

 **Broquet**

97-B, Montée des Bouleaux, Saint-Constant, Qc, J5A 1A9
Tél. : 450-638-3338, Téléc. : 450-638-4338
Internet : www.broquet.qc.ca
Courrier électronique : info@broquet.qc.ca

Table des matières

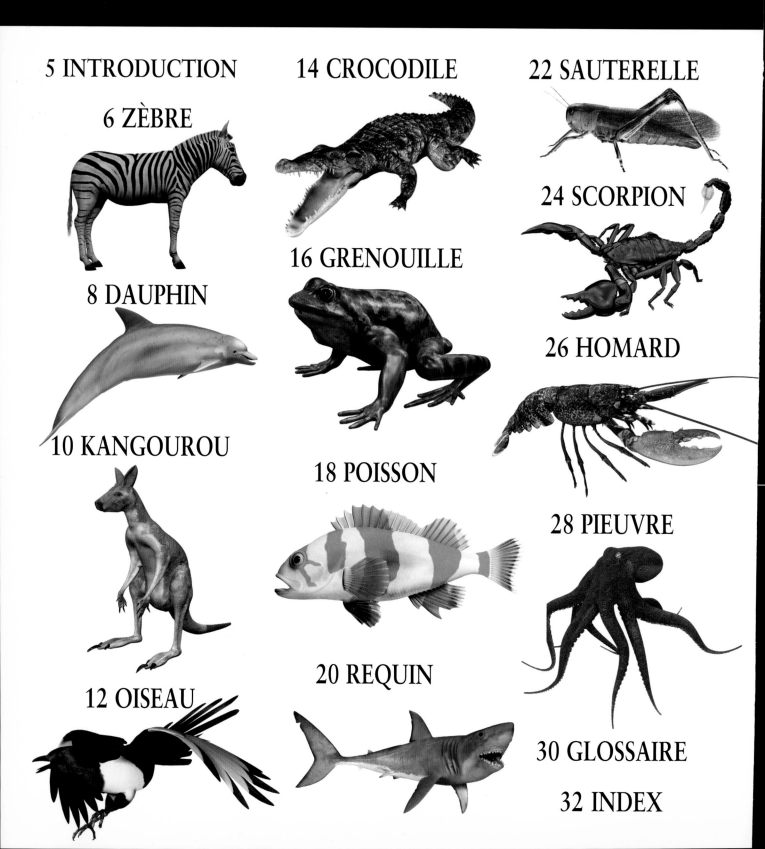

INTRODUCTION

animaux et des étonnantes caractéristiques internes et externes de leurs corps. Les nombreux animaux qui appartiennent à un même groupe, partagent des caractéristiques semblables qui ne sont pas de simples attraits. Qu'il s'agisse de longues pattes, de dents tranchantes comme un rasoir, de nageoires, d'ailes ou d'aiguillons à venin, ces caractéristiques permettent aux animaux de trouver de la nourriture, d'échapper à leurs ennemis et de repérer leurs partenaires.

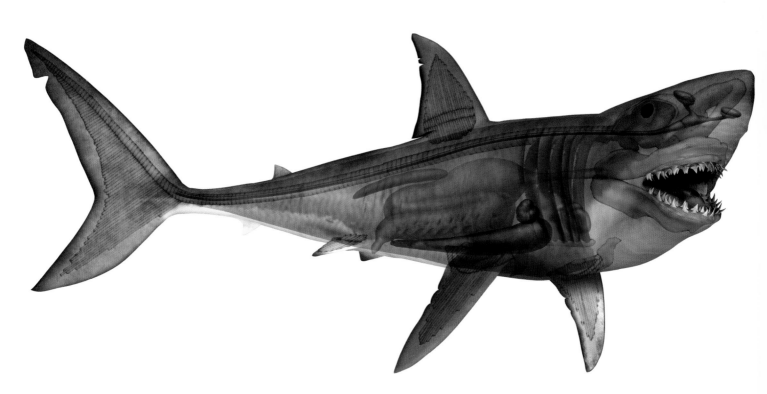

ZÈBRE

LES ZÈBRES SONT DES MAMMIFÈRES, C'EST À DIRE DES ANIMAUX AU SANG CHAUD dotés d'une colonne vertébrale. Ils nourrissent leurs petits de lait. Ils appartiennent à une classe des mammifères qui comprend aussi les chevaux et les ânes. Les zèbres vivent dans la savane africaine. Leur corps est conçu pour qu'ils puissent courir sur de longues distances, et ainsi s'échapper des prédateurs et trouver de l'herbe à brouter.

TROUPEAU DE ZÈBRES

Les zèbres sont des animaux sociaux dont la plupart vivent en troupes de quelques centaines d'individus. Il est beaucoup plus difficile pour les prédateurs, comme les lions, d'attraper un seul zèbre s'il est entouré d'autres zèbres.

Comme les chevaux, les zèbres sont des mammifères de taille moyenne dotés d'une tête et d'un cou de forme allongée, ainsi que de longues pattes pour courir vite. Chaque patte se termine par un doigt protégé par un sabot. Les zèbres ont une crinière qui longe leur cou, une longue queue et un pelage épais. Leurs longues oreilles sensibles pivotent autour d'un point fixe, s'orientant ainsi vers la provenance des sons. Pour leur donner une bonne vision de tout ce qui les entoure, les yeux des zèbres sont éloignés à l'arrière de leur tête. Ils utilisent leurs oreilles, leur nez et leur queue pour afficher différentes humeurs. Les zèbres sont des **herbivores** qui se nourrissent principalement d'herbe, mais également d'écorce, de feuilles et de fruits. Leur système digestif (voir à droite) leur permet de digérer très rapidement de grandes quantités de nourriture.

MUSCLES

C'est principalement grâce à la puissance de son arrière-train que le zèbre peut courir. Les grands muscles de sa croupe lui permettent d'atteindre au galop une vitesse de 70 km/h.

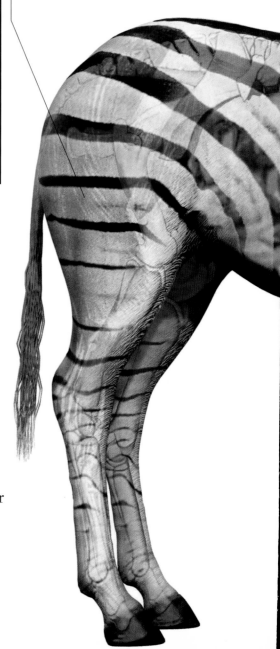

Les premiers chevaux vivaient en Amérique du Nord il y a 55 millions d'années. Leur taille était approximativement la même que celle des chiens. Leurs pieds se terminaient par des orteils plutôt que par des sabots.

ROBE RAYÉE

En plus d'être saisissantes, les rayures du zèbre lui permettent de mieux se dissimuler lorsqu'il est chassé, ce qui rend la tâche plus difficile aux prédateurs qui tentent de l'attraper.

POITRAIL

Le profond poitrail du zèbre abrite un grand cœur volumineux et des poumons, qui contribuent à lui fournir la puissance nécessaire pour courir vite.

Cerveau

DENTS

Le zèbre possède des **incisives** tranchantes à l'avant pour couper l'herbe, et sa ganache contient de larges dents pour la broyer.

Trachée

Œsophage

Cœur

ESTOMAC

Le zèbre se nourrit principalement d'herbe. Celle-ci est d'abord digérée dans l'estomac pour ensuite passer dans la partie suivante de l'intestin, où les **bactéries** contribuent à sa décomposition.

MONTEZ-LES !

Les chevaux ont été domestiqués pour la première fois en Asie il y a environ 5 000 ans. Depuis, les gens les utilisent pour le transport, l'agriculture, les sports et les loisirs.

DAUPHIN

LES DAUPHINS SONT DES CÉTACÉS, C'EST À DIRE DES MAMMIFÈRES qui se sont adaptés à la vie marine. Ils appartiennent à la famille des baleines à dents, qui comprend également les épaulards (orques). Il existe plus de 30 espèces de dauphins qui vivent dans les océans du monde entier. On trouve généralement les Grands dauphins (ou Dauphins à gros nez) en eaux peu profondes près des côtes.

TROUPEAU DE DAUPHINS

Certains dauphins voyagent en groupes appelés troupeaux. Les membres d'un troupeau semblent se concerter pour encercler des bancs de poissons qui leur serviront de nourriture. Ainsi ils peuvent capturer davantage de poissons qu'en agissant seuls.

Le dauphin est parfaitement adapté à la vie dans l'eau. Son corps fuselé en forme de torpille lui permet de se déplacer dans l'eau, propulsé par sa queue puissante. Les nageoires latérales courbées du dauphin sont en réalité des membres antérieurs qu'il utilise pour se diriger. Le Grand dauphin a de longues mâchoires étroites, appelées « bec », remplies de petites dents tranchantes. Ces dents ne servent pas à mastiquer (les dauphins avalent leur **proie** tout rond), mais plutôt à attraper du poisson. Le dauphin trouve ses proies grâce à l'écholocation. Il émet une série de « clics » aigus qui rebondissent sur les objets dans l'eau. L'écho ainsi produit indique au dauphin l'emplacement des objets.

Reins

Muscle

PEAU

La peau du dauphin est lisse et caoutchouteuse au toucher. Extrêmement sensible, elle s'abîme facilement, mais elle semble guérir rapidement.

Le nez du dauphin est l'event situé sur le dessus de sa tête. Le dauphin retient son souffle lorsqu'il plonge. Puis, il remonte à la surface et fait jaillir l'air vicié dans un nuage de vapeur semblable à un grand vaporisateur.

Nageoire dorsale

Foie

SQUELETTE

Les os du dauphin sont légers, car ils n'ont pas à soutenir son poids. Celui-ci est soutenu par l'eau.

MELON

La bosse arrondie située sur le front du dauphin s'appelle le melon. Ce dernier est utilisé pour l'écholocation (voir à gauche) pour produire des sons précis et les diffuser dans l'eau. Les sons frappent des objets comme des poissons et renvoient un écho.

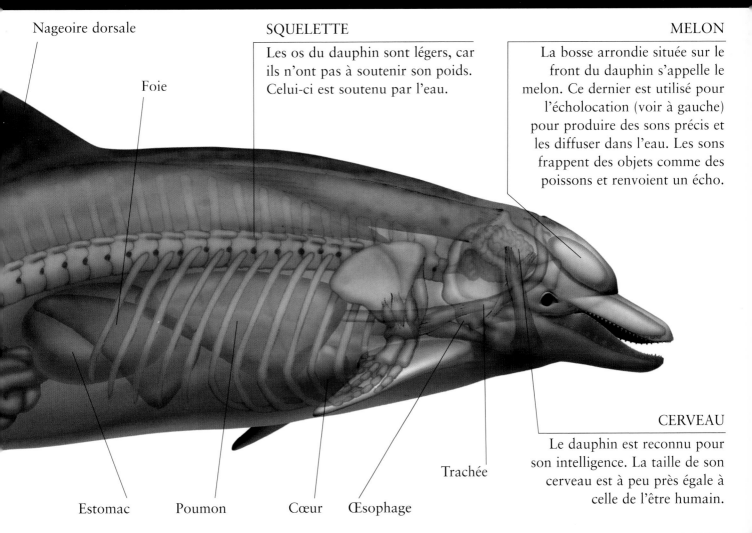

CERVEAU

Le dauphin est reconnu pour son intelligence. La taille de son cerveau est à peu près égale à celle de l'être humain.

Trachée

Estomac   Poumon   Cœur   Œsophage

ALIMENTATION FILTRÉE

La baleine à fanon, comme ces rorquals, n'a pas de dents. Elle possède plutôt des fanons, soit des plaques cornées qui pendent de la partie supérieure de sa gueule. La baleine engloutit l'eau de mer et la filtre à l'aide de son tamis géant, les fanons, pour en extraire la nourriture.

KANGOUROU

LES KANGOUROUS SONT DES MARSUPIAUX (des mammifères munis de poches). Les autres marsupiaux sont notamment les koalas, les wallabies et les opossums. La majorité des marsupiaux se rencontre en Australie et en Nouvelle Guinée. Certaines espèces vivent en Afrique du Sud, et l'une d'entre elles vit en Amérique du Nord.

PORTEUSE DE KANGOUROU
Lorsqu'il a grandi, le bébé kangourou passe plus de temps à l'extérieur de la poche de sa mère. Il est toutefois toujours prêt à y retourner d'un bond au moindre signe de danger.

Avec un poids pouvant atteindre 90 kilogrammes, et sa taille, 165 cm, le Kangourou roux est le plus grand de tous les marsupiaux. Ses membres antérieurs courts et ses longs membres postérieurs et sa longue queue permettent au kangourou de se déplacer en exécutant des bonds et de brouter sur les plaines herbeuses où il vit. Les kangourous se nourrissent principalement d'herbe et de feuilles. Ils puisent la plus grande partie de l'eau dont ils ont besoin dans les plantes et peuvent survivre durant de longues périodes sans s'abreuver. Contrairement aux **mammifères placentaires,** les marsupiaux ne donnent pas naissance à des petits dont le développement est achevé. Le bébé kangourou naît aveugle, faible et sans poils. Il réussit à sortir du ventre de sa mère, puis il grimpe dans sa poche ventrale en s'accrochant à ses poils pour ensuite se fixer à une tétine. Il se nourrira alors du lait de sa mère et continuera à se développer pendant environ sept mois.

KOALA SUR UN EUCALYPTUS
Le koala passe la plus grande partie de sa vie dans les arbres. Ses pattes sont munies de griffes acérées qui lui permettent de s'agripper et de grimper. Les longues dents de chacune de ses mâchoires l'aident à broyer les feuilles d'eucalyptus pour se nourrir.

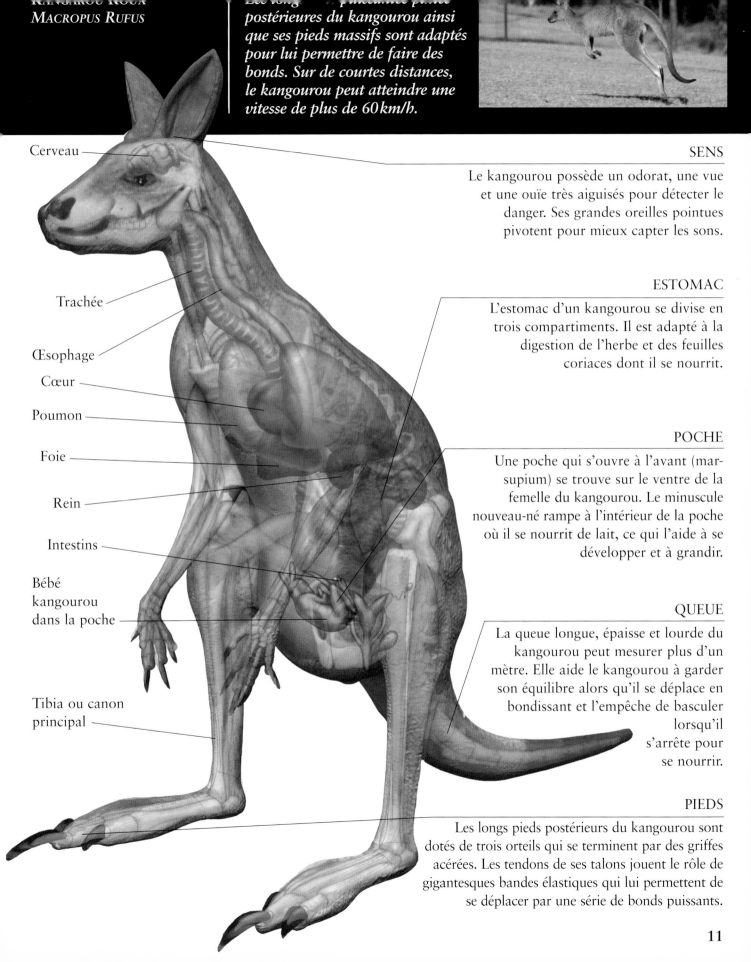

Macropus rufus

Cerveau

Trachée

Œsophage

Cœur

Poumon

Foie

Rein

Intestins

Bébé kangourou dans la poche

Tibia ou canon principal

SENS

Le kangourou possède un odorat, une vue et une ouïe très aiguisés pour détecter le danger. Ses grandes oreilles pointues pivotent pour mieux capter les sons.

ESTOMAC

L'estomac d'un kangourou se divise en trois compartiments. Il est adapté à la digestion de l'herbe et des feuilles coriaces dont il se nourrit.

POCHE

Une poche qui s'ouvre à l'avant (marsupium) se trouve sur le ventre de la femelle du kangourou. Le minuscule nouveau-né rampe à l'intérieur de la poche où il se nourrit de lait, ce qui l'aide à se développer et à grandir.

QUEUE

La queue longue, épaisse et lourde du kangourou peut mesurer plus d'un mètre. Elle aide le kangourou à garder son équilibre alors qu'il se déplace en bondissant et l'empêche de basculer lorsqu'il s'arrête pour se nourrir.

PIEDS

Les longs pieds postérieurs du kangourou sont dotés de trois orteils qui se terminent par des griffes acérées. Les tendons de ses talons jouent le rôle de gigantesques bandes élastiques qui lui permettent de se déplacer par une série de bonds puissants.

OISEAU

chaud qui respirent de l'air. Même si certains oiseaux sont incapables de voler, ils ont tous des ailes et des plumes. Les corps des oiseaux qui peuvent voler ont une forme semblable, parfaitement adaptée pour vivre dans les airs. Il existe plus de 9 000 espèces d'oiseaux qui vivent dans différents habitats du monde entier.

Tous les oiseaux ont un corps semblable qui leur permet de voler. Ce corps est fuselé afin qu'ils puissent fendre l'air, et leurs membres antérieurs sont devenus des ailes. Afin de réduire leur poids, un grand nombre de leurs grands os sont creux. Les oiseaux ont un bec plutôt que des dents, et des plumes plutôt que de la fourrure ou des écailles.

POUMONS

Les poumons de l'oiseau absorbent très bien l'oxygène de l'air. L'air est aspiré dans les poumons, à l'intérieur des sacs aériens. Ceux-ci sont directement liés aux os des ailes de l'oiseau afin d'augmenter le débit d'oxygène.

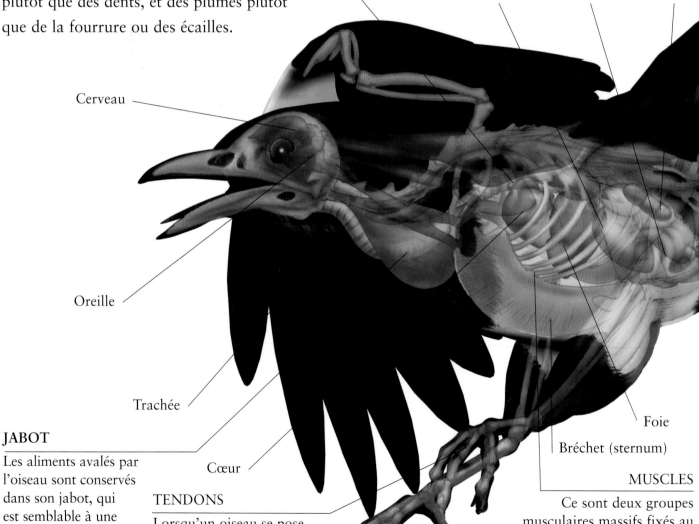

Estomac   Intestins   Reins

Cerveau

Oreille

Trachée

Foie

Bréchet (sternum)

JABOT

Les aliments avalés par l'oiseau sont conservés dans son jabot, qui est semblable à une poche. Ces aliments passent ensuite par le **gésier,** organe musculaire, pour être broyés.

Cœur

TENDONS

Lorsqu'un oiseau se pose sur une branche, son poids entraîne la contraction des tendons de ses pattes afin que ses doigts s'agrippent fermement au perchoir.

MUSCLES

Ce sont deux groupes musculaires massifs fixés au large bréchet de l'oiseau qui lui fournissent la puissance nécessaire pour voler. Ils battent des ailes de haut en bas.

PIE BAVARDE
PICA PICA

Chaque année, de nombreux oiseaux entreprennent de longs voyages dans le ciel qu'on appelle migrations. Ils quittent leur aire d'alimentation estivale pour des climats chauds où la nourriture est plus abondante.

Plumes de la queue

OIE PONDEUSE

Tous les oiseaux pondent des œufs à coquille dure. La plupart d'entre eux construisent des nids pour pondre leurs œufs et élever leurs petits dans un endroit sûr.

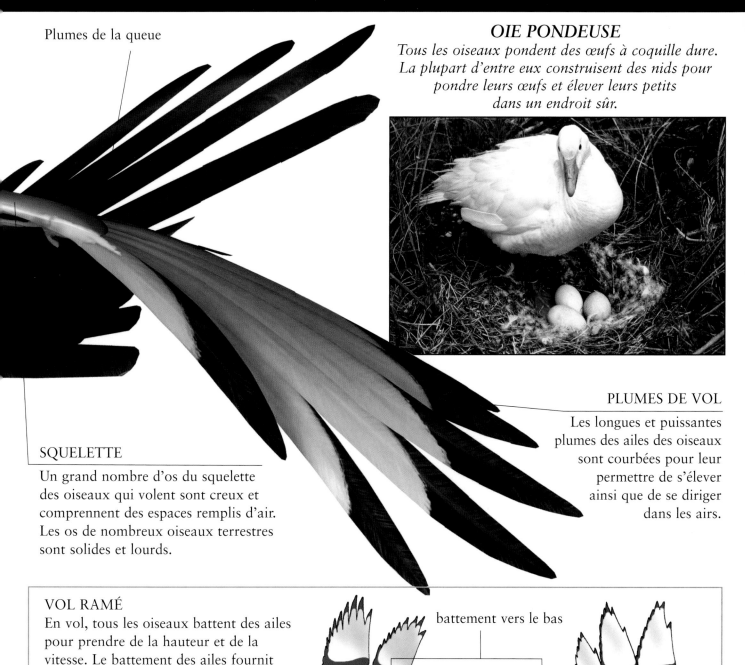

PLUMES DE VOL

Les longues et puissantes plumes des ailes des oiseaux sont courbées pour leur permettre de s'élever ainsi que de se diriger dans les airs.

SQUELETTE

Un grand nombre d'os du squelette des oiseaux qui volent sont creux et comprennent des espaces remplis d'air. Les os de nombreux oiseaux terrestres sont solides et lourds.

VOL RAMÉ

En vol, tous les oiseaux battent des ailes pour prendre de la hauteur et de la vitesse. Le battement des ailes fournit un élan qui propulse l'oiseau à chaque battement vers le haut ou vers le bas. Combinée à la forme de l'aile de l'oiseau, la poussée du battement vers le bas lui fait également gagner de l'altitude.

battement vers le bas

battement vers le haut

CROCODILE

LES CROCODILES APPARTIENNENT À LA CLASSE DES REPTILES, qui comprend également les serpents, les lézards et les tortues. Les reptiles sont des vertébrés à sang froid. Certains d'entre eux donnent naissance à des petits vivants, mais la plupart pondent sur la terre des œufs protégés par une coquille robuste et coriace.

Les crocodiles et leurs parents, les alligators et les gavials, ont un corps semblable. Ce dernier est cuirassé et composé de plaques dures, d'une longue queue, de membres courts et d'une tête qui se termine par un museau allongé. Leur

corps est adapté à la vie dans l'eau, où ils chassent leurs proies. Les crocodiles sont des **carnivores** et se nourrissent de poissons, d'oiseaux et de mammifères. Ils utilisent leurs dents tranchantes et pointues pour capturer leur proie, qu'ils déchiquètent en secouant la tête. Lorsque les crocodiles chassent, ils attendent, presque immergés dans l'eau, que leur proie s'approche suffisamment pour l'attaquer.

NID DE CROCODILE

La mère crocodile est attentionnée. La femelle creuse un nid pour y pondre ses œufs. Elle reste près du nid pendant environ trois mois, jusqu'à l'éclosion. Elle porte ensuite ses petits jusqu'à l'eau.

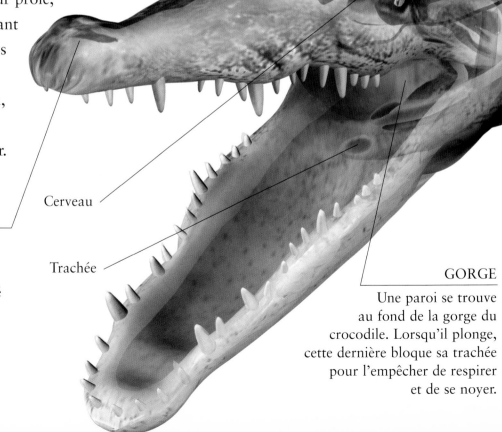

Cerveau

Trachée

NARINES

Les narines du crocodile sont situées sur le dessus de sa tête afin qu'il puisse respirer lorsqu'il flotte à moitié immergé dans l'eau. Le crocodile a un odorat très fin qu'il utilise pour traquer sa proie et repérer ses semblables, ainsi que pour détecter le danger.

GORGE

Une paroi se trouve au fond de la gorge du crocodile. Lorsqu'il plonge, cette dernière bloque sa trachée pour l'empêcher de respirer et de se noyer.

CROCODILE À DOUBLE CRÊTE
(OU CROCODILE DE MER)
CROCODYLUS POROSUS

Le crocodile est doté d'une paupière supplémentaire qui se ferme sous l'eau pour protéger ses yeux. Cette paupière est transparente afin que le crocodile puisse tout de même voir clairement.

PEAU

L'armure qui protège le crocodile se compose de plaques robustes et cornées, appelées écailles, qui couvrent son dos et sa queue.

QUEUE

Pour se déplacer dans l'eau, le crocodile bouge sa queue large et musclée d'un côté et de l'autre. Sa queue lui permet également d'accélérer très rapidement et de changer de direction.

Reins

CHEVILLES

Sur la terre, le crocodile se déplace généralement sur ses pieds, pattes écartées de chaque côté. Il peut également faire pivoter ses chevilles pour soulever du sol son corps et sa queue.

ESTOMAC

L'estomac du crocodile s'étire pour contenir de grands morceaux de proie. Certains crocodiles avalent des cailloux et des pierres pour broyer plus facilement les coquillages et des os durs et pour stabiliser leur corps dans l'eau.

Foie

Poumons

Cœur

PARENTS DES REPTILES

Les trois principales classes de reptiles sont les crocodiles, les tortues, ainsi que les lézards et les serpents. Même si la forme de leur corps varie énormément, ils partagent certaines caractéristiques comme leur peau écailleuse.

GRENOUILLE

LES GRENOUILLES SONT DES AMPHIBIENS, MOT QUI SIGNIFIE « AVOIR DEUX VIES ». Ces animaux passent une partie de leur vie dans l'eau, et l'autre sur la terre. La classe des amphibiens comprend les crapauds, les salamandres, les tritons et les cécilies. Tout comme les crocodiles, les autres reptiles et les poissons, les amphibiens sont des vertébrés à sang froid.

RAINETTE

Pour grimper plus facilement sur les troncs d'arbres, de nombreuses rainettes ont sur leur ventre une peau souple et entre les orteils des palmes adhésives.

Toutes les espèces de grenouilles ont un corps semblable, court et accroupi, de longues pattes postérieures et une peau visqueuse. Toutes ces caractéristiques, y compris l'absence de queue, sont liées au mode de vie de la grenouille, qui bondit sur le sol. Les grenouilles bondissent pour échapper à leurs ennemis, et parfois pour capturer leurs proies. Les grenouilles peuvent aussi vivre dans l'eau, où elles se réunissent et pondent leurs œufs (voir à droite). Leurs yeux et leurs narines se trouvent au sommet de leur tête afin qu'elles puissent voir et respirer alors que le reste de leur corps est caché sous l'eau. Leurs pattes postérieures sont palmées pour leur permettre de repousser l'eau pendant qu'elles nagent.

OREILLE

La plupart des espèces de grenouilles ont de grands tympans de chaque côté de la tête, juste derrière les yeux. Une bonne ouïe est indispensable pour entendre les appels de leurs semblables (voir à droite).

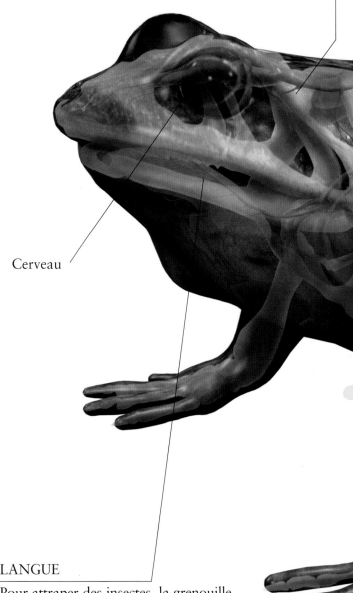

Cerveau

LANGUE

Pour attraper des insectes, la grenouille projette à toute vitesse sa longue langue collante. Elle l'enroule ensuite autour de sa proie pour la ramener.

POUMONS ET PEAU

Pour respirer l'oxygène de l'air, la grenouille possède des poumons semblables à des sacs. La grenouille peut également faire le plein d'oxygène par sa peau humide. Comme les têtards, elle utilise ses branchies pour extraire l'oxygène dissout dans l'eau.

Reins

COLONNE VERTÉBRALE

La colonne vertébrale de la grenouille se compose de seulement six à dix vertèbres. Elle est ainsi courte et rigide, ce qui permet à son corps de composer avec les forces déployées lorsqu'elle bondit et atterrit.

Cœur

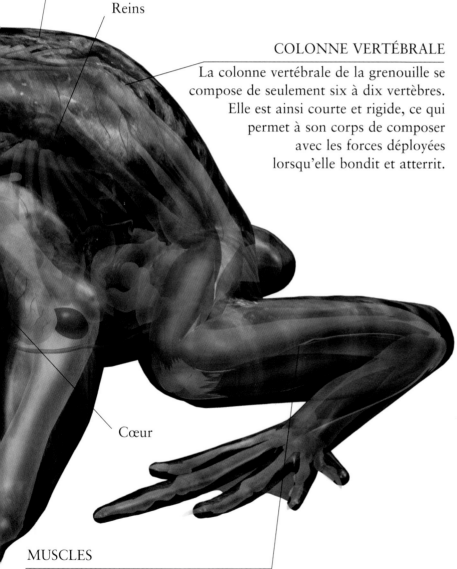

MUSCLES

La grenouille est dotée de longues pattes postérieures musclées qui la propulsent dans les airs lorsqu'elle bondit ou atterrit. Ces muscles sont également utiles pour la nage.

CYCLE BIOLOGIQUE DE LA GRENOUILLE

Au tout début, un œuf (1) est déposé dans l'eau. Cet œuf grandit (2), puis éclot pour laisser sortir un têtard (3). Ce dernier développe une queue et des branchies (4). Progressivement, la queue du têtard rétrécit (5). Ensuite, les pattes et les poumons se forment, et le têtard se transforme en une minuscule grenouille (6) qui peut vivre sur la terre.

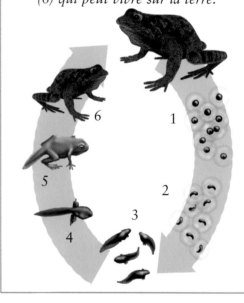

SALAMANDRE

La salamandre a un corps plus long et des pattes plus courtes que la grenouille, ainsi qu'une longue queue. Certaines espèces aux couleurs vives ont la peau venimeuse.

17

POISSON

COMME LES REPTILES ET LES AMPHIBIENS, LES POISSONS SONT DES VERTÉBRÉS à sang froid. Ils vivent dans les océans, les rivières et les lacs du monde entier. Il existe deux principales classes de poissons : les poissons osseux (comme le sébaste illustré ci-dessous) et les poissons cartilagineux (illustrés aux pages 20 et 21).

RESTER ENSEMBLE

Certains petits poissons vivent en formant d'immenses bancs. Être nombreux assure leur sécurité, puisqu'il est difficile pour les prédateurs d'attraper un seul poisson dans la foule.

La plupart des poissons osseux, par exemple le sébaste de l'illustration, ont un corps allongé composé de muscles et parfaitement adapté à leur mode de vie sous l'eau. Une queue puissante et une colonne vertébrale souple permettent au poisson de nager en produisant une série de courbes en forme de « S ». Les nageoires latérales et postérieures aident le poisson à garder l'équilibre et à se diriger. Plutôt que les poumons des animaux terrestres, les poissons ont des branchies afin de pouvoir « respirer » sous l'eau. Ils engloutissent des quantités d'eau qu'ils évacuent par les branchies. Dans ces dernières, l'oxygène de l'eau passe dans le sang du poisson pour être transporté dans tout son corps. Les branchies sont fines et filamenteuses, constituant ainsi une vaste surface pour absorber la plus grande quantité possible d'oxygène.

BRANCHIES

Pour respirer, les poissons ont de chaque côté de la tête des branchies filamenteuses. Ces dernières absorbent l'oxygène dissout dans l'eau. Une paroi robuste protège les branchies des **poissons osseux.**

Cerveau

Cœur

Foie

Nageoire pelvienne

NARINES

Les poissons possèdent deux ou trois paires de narines. Elles conduisent à des espaces parsemés de capteurs qui détectent les produits chimiques sentis dans l'eau. Les poissons utilisent l'odorat pour repérer la nourriture et le danger.

Les dipneustes sont exceptionnels, car ils ont des poumons ainsi que des branchies. Ils peuvent ainsi respirer à la surface en période de sécheresse.

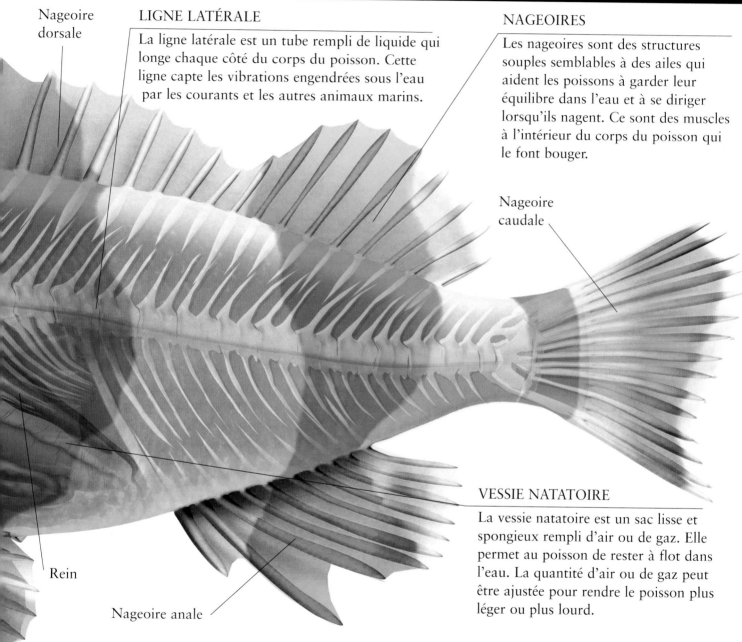

Nageoire dorsale

LIGNE LATÉRALE

La ligne latérale est un tube rempli de liquide qui longe chaque côté du corps du poisson. Cette ligne capte les vibrations engendrées sous l'eau par les courants et les autres animaux marins.

NAGEOIRES

Les nageoires sont des structures souples semblables à des ailes qui aident les poissons à garder leur équilibre dans l'eau et à se diriger lorsqu'ils nagent. Ce sont des muscles à l'intérieur du corps du poisson qui le font bouger.

Nageoire caudale

Rein

Nageoire anale

VESSIE NATATOIRE

La vessie natatoire est un sac lisse et spongieux rempli d'air ou de gaz. Elle permet au poisson de rester à flot dans l'eau. La quantité d'air ou de gaz peut être ajustée pour rendre le poisson plus léger ou plus lourd.

ŒUFS DE POISSON

Certains requins donnent naissance à des petits vivants, mais la plupart des poissons pondent des œufs dans l'eau. Certains poissons, comme la morue, pondent des millions de petits œufs et espèrent que quelques-uns d'entre eux survivront.

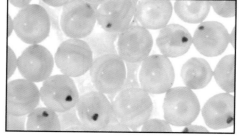

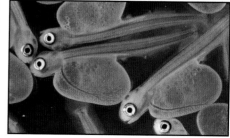

REQUIN

LES REQUINS APPARTIENNENT À LA CLASSE DES POISSONS CARTILA-GINEUX, qui comprend aussi les raies, les pastenagues et les chimères. Le squelette de ces poissons est composé de cartilage plutôt que d'os. Le cartilage est un matériau robuste et d'apparence nerveuse qui rend le squelette solide, souple et léger.

Bien que les requins soient de différentes formes et dimensions, c'est le corps lisse et fuselé du Grand requin blanc qui est le plus célèbre d'entre tous. La constitution du Grand requin blanc lui permet de chasser à grande vitesse. Il repère sa proie grâce à ses sens aigus, puis l'attrape et le mord assez fort pour lui broyer les os. Des dents continuellement remplacées et aussi tranchantes que des lames de rasoir bordent ses mâchoires. Lorsque le requin mord, une paupière supplémentaire se referme pour protéger ses yeux. Si la proie est trop grande pour n'en faire qu'une bouchée, le requin secoue la tête d'un côté et de l'autre jusqu'à ce qu'il obtienne une bouchée de chair possible à avaler.

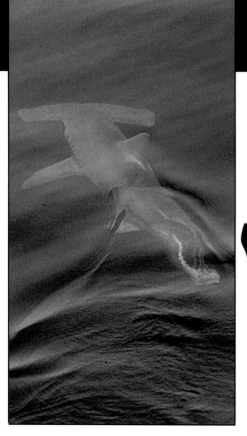

MANGEURS D'HOMMES
De nombreux requins ont une réputation de mangeur d'hommes. Toutefois, à notre connaissance, seules quelques espèces tuent les gens. Ces espèces sont notamment le Grand requin blanc et le Requin marteau (ci-dessus).

RAIE
Proche parente du requin, la raie a de très grandes nageoires latérales qui donnent à son corps une forme de diamant. La plupart des raies se cachent dans les fonds marins et attendent leurs proies : des poissons, des crabes, des crevettes, des lançons et des vers.

D'un poids de 20 tonnes, le requin baleine est le plus gros des poissons. Ce poisson gigantesque se nourrit de petits animaux qu'il capture dans l'eau à l'aide de ses branchies, semblables à un tamis.

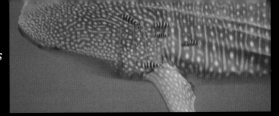

INTESTINS

Les intestins du requin sont assez courts, mais ils ne sont pas un simple tube. La «valvule spirale» interne de l'intestin, en forme de vis, augmente la surface d'absorption des aliments digérés.

FOIE

Le requin n'a pas de vessie natatoire. Son grand foie est rempli d'huile, plus légère que l'eau. Ainsi, le contenu de son foie et son squelette léger peuvent aider le requin à flotter.

SYSTÈME SENSORIEL

Son excellente acuité visuelle et son odorat fin aident le requin à trouver des proies. Des organes spéciaux sur son museau lui permettent de détecter les signaux électriques émis par les muscles des proies.

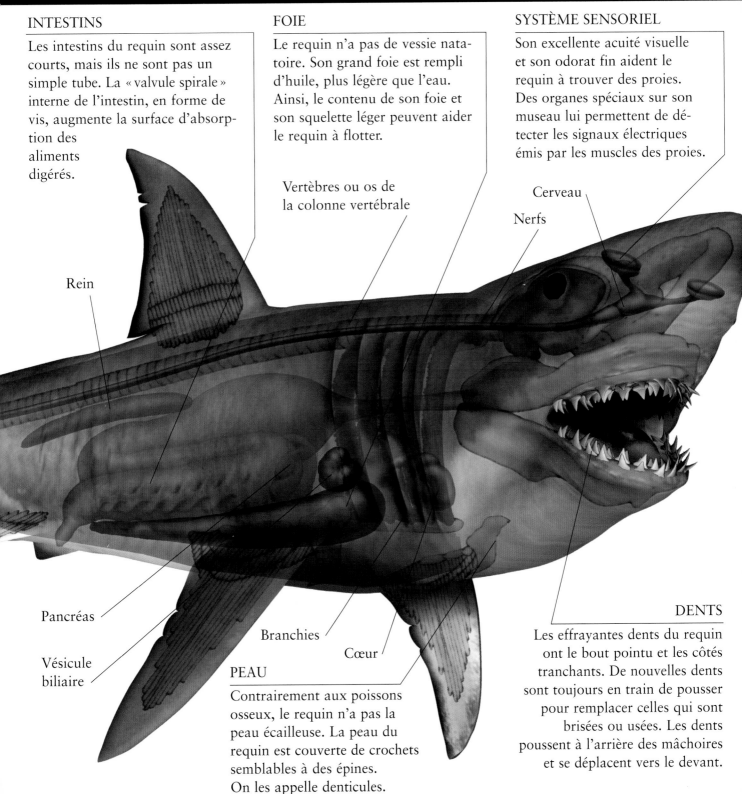

Vertèbres ou os de
la colonne vertébrale

Cerveau

Nerfs

Rein

Pancréas

Vésicule
biliaire

Branchies

Cœur

PEAU

Contrairement aux poissons osseux, le requin n'a pas la peau écailleuse. La peau du requin est couverte de crochets semblables à des épines. On les appelle denticules.

DENTS

Les effrayantes dents du requin ont le bout pointu et les côtés tranchants. De nouvelles dents sont toujours en train de pousser pour remplacer celles qui sont brisées ou usées. Les dents poussent à l'arrière des mâchoires et se déplacent vers le devant.

SAUTERELLE

Les sauterelles sont des insectes, la plus importante classe des arthropodes. Le corps de l'insecte se divise généralement en trois parties (la tête, le thorax et l'abdomen) en plus d'être doté de deux paires d'ailes et de six pattes. Les longues pattes des sauterelles sont adaptées au saut (voir à droite). Le corps des sauterelles mâles présente des caractéristiques spéciales pour les aider à émettre des cris qui ressemblent à un chant. Ils peuvent ainsi communiquer avec leurs semblables grâce à une technique appelée stridulation. Les criquets, comme celui illustré ici, frottent leurs pattes postérieures contre leurs ailes antérieures. Les sauterelles frottent leurs ailes antérieures l'une contre l'autre. La sauterelle entend les sons grâce à ses « oreilles ». Ces dernières sont de minces membranes semblables à un film situées sur l'abdomen et liées à des capteurs sonores. Les sons font vibrer les membranes, ce qui active les capteurs.

DECTIQUES MANGEURS

Les dectiques sont des sauterelles qui forment d'énormes essaims et qui ravagent les champs des agriculteurs, détruisant leurs récoltes.

Antenne

Œil

Tête

Thorax

Pied

Patte

GLANDES SALIVAIRES

Les organes de la bouche de la sauterelle sont conçus pour mâcher les plantes. Les glandes de la bouche de la sauterelle recouvrent la nourriture de salive humide pour la décomposer.

CŒUR

Le cœur de la sauterelle fait partie d'un tube situé dans son abdomen. Il pompe vers la tête le sang qui longe l'autre partie du tube. Ensuite, le sang circule dans tout le corps de la sauterelle.

Les sauterelles vertes sont des sauterelles capables de se camoufler. Elles sont nombreuses à avoir un corps semblable à une feuille (vivante ou morte) ou à du lichen pour se cacher de leurs ennemis.

INTESTIN

L'intestin de la sauterelle se divise en trois parties. Les aliments avalés passent dans un jabot, semblable à une poche, pour y être stockés. Ensuite, ils passent dans l'intestin moyen pour y être digérés. Les déchets s'accumulent dans l'intestin postérieur jusqu'à ce qu'ils le traversent pour joindre l'extrémité de l'abdomen.

Tubes de Malpighi ou organe excréteur

VIE SOUTERRAINE

Pendant la journée, les courtilières utilisent leurs puissantes pattes antérieures pour creuser des tunnels dans le sable et les sols humides. Les courtilières se nourrissent de plantes et de tous les petits insectes qu'elles peuvent attraper.

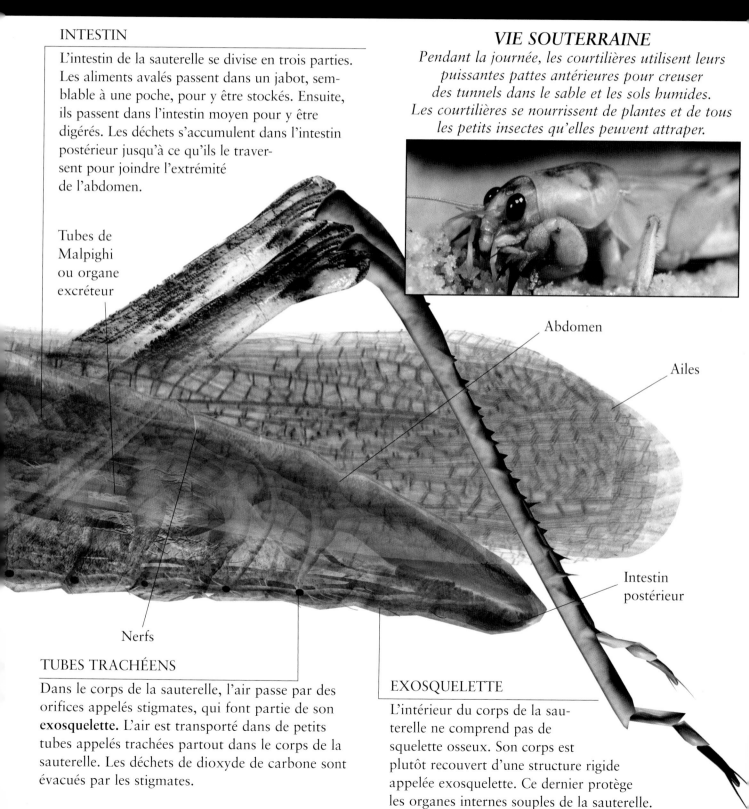

Abdomen

Ailes

Intestin postérieur

Nerfs

TUBES TRACHÉENS

Dans le corps de la sauterelle, l'air passe par des orifices appelés stigmates, qui font partie de son **exosquelette.** L'air est transporté dans de petits tubes appelés trachées partout dans le corps de la sauterelle. Les déchets de dioxyde de carbone sont évacués par les stigmates.

EXOSQUELETTE

L'intérieur du corps de la sauterelle ne comprend pas de squelette osseux. Son corps est plutôt recouvert d'une structure rigide appelée exosquelette. Ce dernier protège les organes internes souples de la sauterelle.

SCORPION

PODES. Ils appartiennent à une classe d'arthropodes appelée arachnides, qui comprend aussi les araignées, les tiques et les mites. Au premier coup d'œil, ils peuvent ne présenter aucune ressemblance, mais tous les arachnides ont le même schéma corporel.

Le corps des scorpions et de leurs parents arachnides se divise en deux sections, appelées céphalothorax (tête et thorax) et abdomen. Le céphalothorax compte quatre paires de pattes. Les scorpions possèdent également une grande paire de pinces, appelées pédipalpes. Ils utilisent ces dernières pour attraper des proies, effrayer les ennemis et faire la parade nuptiale (voir à droite). L'extrémité postérieure de l'abdomen du scorpion devient de plus en plus étroite pour former son unique « queue » courbée, au bout de laquelle se trouve un aiguillon. Les scorpions passent la journée cachés sous des pierres ou des bûches et sortent la nuit pour chasser des proies. Ils se nourrissent de coléoptères, de blattes et d'autres petits animaux. Lorsqu'ils ont repéré leur proie (voir à droite), ils restent immobiles et attendent qu'elle soit à leur portée. Ensuite, ils l'attrapent à l'aide de leurs pinces massives. Les scorpions utilisent leur aiguillon venimeux pour la chasse lorsque leur proie est très grosse. Sinon, ils l'utilisent principalement pour se défendre.

BÉBÉS À BORD

La femelle scorpion transporte ses petits sur son dos pendant quelques jours, jusqu'à ce qu'ils soient assez grands pour se débrouiller seuls.

FILEUSE À HUIT PATTES

Les araignées sont reconnues pour la soie qu'elles fabriquent. Certaines d'entre elles utilisent la soie pour tisser une toile collante afin de capturer leurs proies. D'autres, comme cette araignée loup, chassent au sol mais tissent leur tanière à l'aide de la soie.

Pédipalpe ou pince

Avant l'accouplement, le mâle et la femelle scorpion se tiennent les pinces et « dansent ». Après l'accouplement, la femelle pond ses œufs, qui éclosent très rapidement.

CŒUR

Le scorpion et les autres arachnides ont un cœur en forme de tube, qui pompe le sang dans tout leur corps. Leur sang est incolore et, chez certaines espèces, venimeux.

GLANDE À VENIN

L'aiguillon situé au bout de la queue du scorpion s'appelle le telson. La glande à venin, semblable à une poche, l'approvisionne en venin. Le venin de certains scorpions est suffisamment puissant pour tuer un être humain.

Chélicères
ou organes
buccaux

Yeux
médians

Glande coxale ou organe excréteur

Exosquelette

Glande
digestive

Estomac

Tubes de
Malpighi
ou organe
excréteur

SAC PULMONAIRE

Le scorpion respire à l'aide d'organes spéciaux appelés sacs pulmonaires. Ces derniers comportent de multiples replis, un peu comme les pages d'un livre. Les replis fournissent une vaste surface d'approvisionnement en oxygène.

Glande
salivaire

Cerveau

PECTINES

Une paire de pectines semblables à un peigne se trouve sous l'abdomen du scorpion. Les pectines frottent contre le sol et détectent les vibrations, ce qui aide le scorpion à sentir et à repérer ses proies.

HOMARD

Comme les scorpions, les homards sont des arthropodes. Leur corps se divise en deux segments, et leurs pattes plient aux articulations. Les crabes possèdent dix paires de pattes. Leurs deux premières pattes sont leurs immenses pinces. La plus grande pince du homard, appelée pince broyeuse, lui sert à broyer la carapace de ses proies. La plus petite, appelée pince coupante, sert à couper la chair souple. Le homard utilise principalement ses autres pattes pour ses déplacements et sa toilette. L'enveloppe extérieure robuste ou carapace du crabe constitue son exosquelette, qui contribue à la protection de son corps mou.

Abdomen

BRANCHIES

Les branchies du homard sont nettoyées par l'eau, qui passe par les ouvertures situées entre ses pattes.

CŒUR

Le cœur du homard comprend un seul ventricule et plusieurs ouvertures. Il bat à une fréquence d'environ 50 à 100 fois par minute pour pomper du sang bleu dans tout son corps.

SON COUSIN LE CRABE

Comme les homards, les crabes ont le corps recouvert d'une carapace robuste. Étant donné que cette dernière ne grandit pas au même rythme que son corps, le crabe mue. Lorsque le crabe brise son ancienne carapace, son corps grandit rapidement avant que son nouvel exosquelette ne durcisse.

HOMARD EUROPÉEN
HOMARUS GAMMARUS

Chaque année, des milliers de langoustes migrent le long de la côte atlantique. Elles avancent en file indienne, en accrochant leurs pinces à la langouste qui les précède.

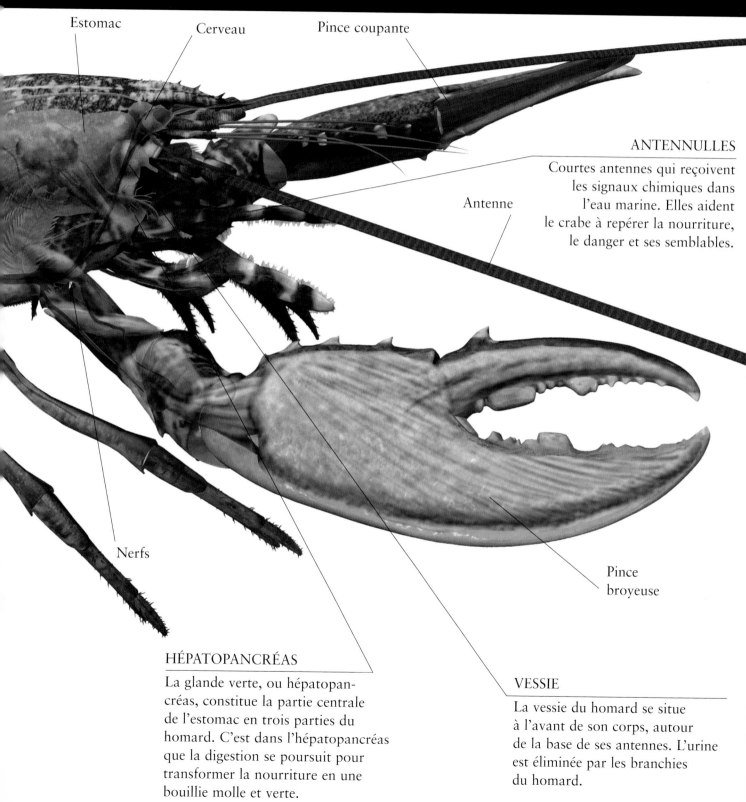

Estomac

Cerveau

Pince coupante

ANTENNULLES

Courtes antennes qui reçoivent les signaux chimiques dans l'eau marine. Elles aident le crabe à repérer la nourriture, le danger et ses semblables.

Antenne

Nerfs

Pince broyeuse

HÉPATOPANCRÉAS

La glande verte, ou hépatopancréas, constitue la partie centrale de l'estomac en trois parties du homard. C'est dans l'hépatopancréas que la digestion se poursuit pour transformer la nourriture en une bouillie molle et verte.

VESSIE

La vessie du homard se situe à l'avant de son corps, autour de la base de ses antennes. L'urine est éliminée par les branchies du homard.

27

PIEUVRE

LES PIEUVRES SONT DES MOLLUSQUES [...] DES HUÎTRES ET DES PALOURDES. Toutefois, contrairement à leurs cousins à carapace, la seule partie robuste de la pieuvre est son bec semblable à celui d'un perroquet. La vie des pieuvres est courte. Certaines espèces ne vivent que six mois alors que les plus grandes pieu-vres peuvent vivre jusqu'à cinq ans.

En raison de leurs huit bras munis de ventouses, les pieuvres sont faciles à reconnaître. Puisque la pieuvre n'a pas de carapace, elle peut comprimer son corps caoutchouteux pour se glisser dans les fonds marins rocheux où elle se cache de ses prédateurs ou attend la venue de ses proies. Elle utilise ses bras pour capturer des proies ou ramper sur le sol marin. La pieuvre peut échapper à ses ennemis de différentes façons. Elle peut utiliser son encre pour semer la confusion chez les prédateurs (voir à droite) ou aspirer et expulser brusquement de l'eau pour propulser son corps vers l'arrière. La pieuvre peut également changer de couleur en ouvrant et en refermant les cellules colorées de sa peau. C'est un truc habile dont elle se sert pour se camoufler, afficher ses différentes humeurs et envoyer des signaux à d'autres pieuvres.

SYSTÈME NERVEUX

Le système nerveux de la pieuvre est extraordinairement sophistiqué. La pieuvre a un cerveau volumineux, de grands yeux et une bonne mémoire; elle fait partie des invertébrés les plus intelligents.

Muscles

Ventouses

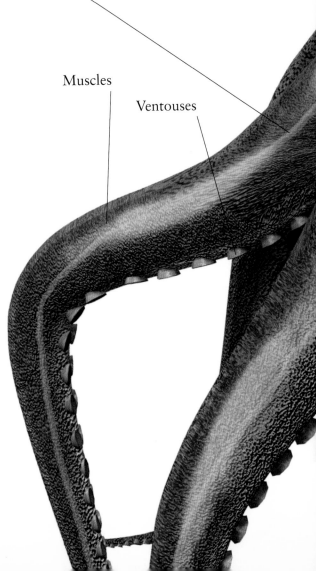

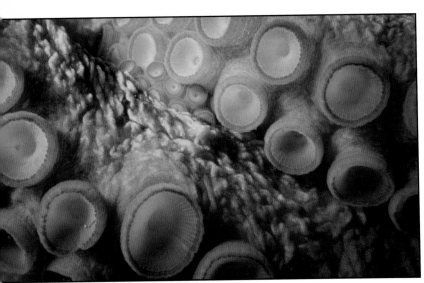

VENTOUSES

Les tentacules de la pieuvre sont munis de ventouses circulaires. Chacune d'entre elles est contrôlée par de petits muscles. Ces ventouses permettent à la pieuvre de capturer des proies et de sentir. Elles sont très sensibles et détectent les textures, les formes et les goûts.

En plus de changer de couleur, certaines pieuvres peuvent également modifier la texture de leur peau, ce qui les aide à se cacher parmi les rochers anguleux et les algues.

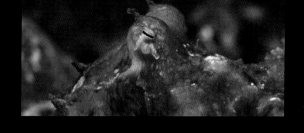

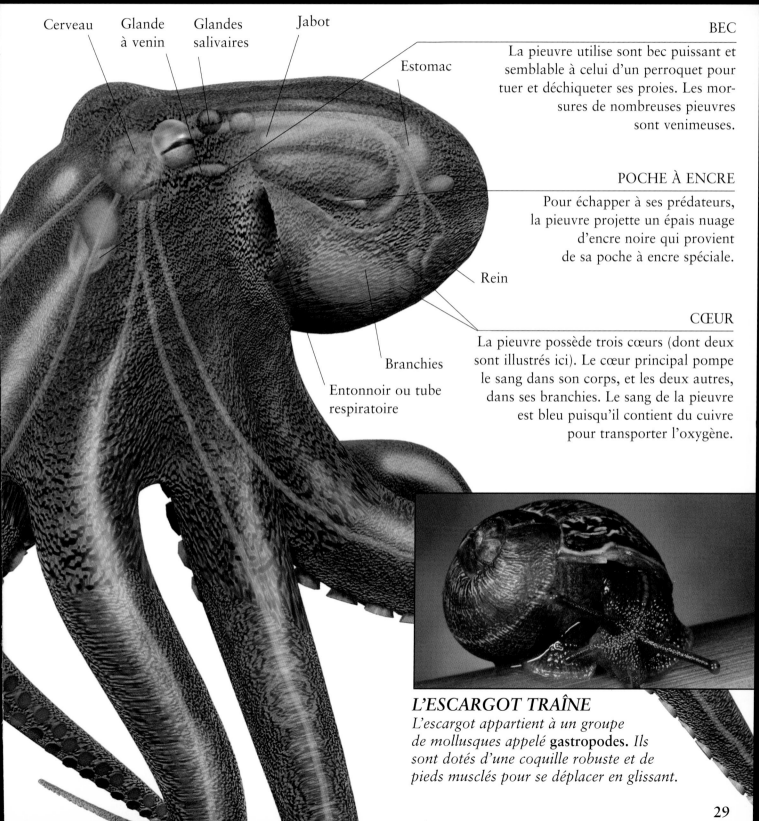

Cerveau

Glande à venin

Glandes salivaires

Jabot

Estomac

Rein

Branchies

Entonnoir ou tube respiratoire

BEC

La pieuvre utilise sont bec puissant et semblable à celui d'un perroquet pour tuer et déchiqueter ses proies. Les morsures de nombreuses pieuvres sont venimeuses.

POCHE À ENCRE

Pour échapper à ses prédateurs, la pieuvre projette un épais nuage d'encre noire qui provient de sa poche à encre spéciale.

CŒUR

La pieuvre possède trois cœurs (dont deux sont illustrés ici). Le cœur principal pompe le sang dans son corps, et les deux autres, dans ses branchies. Le sang de la pieuvre est bleu puisqu'il contient du cuivre pour transporter l'oxygène.

L'ESCARGOT TRAÎNE

L'escargot appartient à un groupe de mollusques appelé **gastropodes.** *Ils sont dotés d'une coquille robuste et de pieds musclés pour se déplacer en glissant.*

GLOSSAIRE

Amphibiens
Vertébrés à sang froid, tels que les grenouilles
et les crapauds, qui vivent une partie de leur vie
dans l'eau et l'autre sur la terre.

Animaux à sang chaud
Animaux qui peuvent contrôler leur propre
température corporelle pour qu'elle reste la
même, peu importe les conditions externes.

Animaux à sang froid
Animaux, tels que les poissons, les reptiles et
les amphibiens, qui ne peuvent contrôler leur
propre température corporelle. Ils dépendent
de la température extérieure pour se réchauffer
ou se refroidir.

Arachnides
Invertébrés, tels que les araignées et les scorpions,
dont le corps se divise en deux sections et qui
possèdent quatre paires de pattes.

Arthropodes
Plus vaste groupe d'invertébrés, qui comprend
les insectes, les arachnides, les crustacés et les
centipèdes.

Bactéries
Minuscules êtres vivants que l'on trouve presque
partout.

Carnivores
Animaux qui se nourrissent de viande.

Cécilies
Amphibiens au corps allongé et sans queue qui
vivent dans un sol humide.

Cétacés
Groupe de mammifères, y compris les dauphins
et les baleines, qui se sont adaptés à la vie
marine.

Chimères
Groupe de poissons cartilagineux de la même
classe que les requins. On les appelle également
« rats de mer ».

Crustacés
Groupe d'arthropodes qui comprend les crabes,
les homards et les limnories. Leur corps est
segmenté, et leurs pattes, jointes.

Exosquelette
Couche externe robuste ou coquillage des invertébrés, qui les protège et qui soutient leur corps
mou.

Gastropodes
Groupe de mollusques qui comprend les escargots et les limaces.

Gésier
Deuxième estomac des oiseaux où les aliments sont broyés.

Herbivores
Animaux qui se nourrissent de plantes.

Incisives
Dents antérieures tranchantes pour couper les aliments.

Invertébrés
Animaux qui n'ont pas de colonne vertébrale ou de squelette.

Jabot
Partie du système digestif de certains animaux, semblable à une poche où sont stockés les aliments pour la digestion.

Mammifères
Vertébrés à sang chaud qui respirent de l'air à l'aide de poumons et qui nourrissent leurs petits de lait.

Mammifères placentaires
Mammifères dont les petits grandissent à l'intérieur du corps de la mère jusqu'à la fin de leur développement.

Marsupiaux
Groupe de mammifères dotés de poches où leurs petits se nourrissent de lait et grandissent.

Migrations
Longs chemins parcourus par de nombreux animaux, en particulier les oiseaux, entre leur aire de reproduction et leur aire d'alimentation.

Mollusques
Groupe d'invertébrés qui comprend les calmars, les pieuvres, les escargots, les palourdes et les moules. Les mollusques ont le corps mou, souvent protégé par un coquillage robuste.

Poissons cartilagineux
Poissons dont le squelette est composé de cartilage nerveux plutôt que d'arêtes.

Poissons osseux
Poissons dotés d'un squelette composé d'os, et non de cartilages.

Prédateurs
Animaux qui chassent d'autres animaux pour se nourrir.

Proies
Animaux que d'autres animaux chassent pour se nourrir.

Reptiles
Vertébrés à sang froid à peau écailleuse, dont la plupart pondent des œufs à coquille caoutchouteuse. Les reptiles comprennent les serpents, les lézards, les crocodiles et les tortues.

Tendons
Bandes robustes et souples qui relient les muscles aux os.

Vertébrés
Animaux dotés d'une colonne vertébrale et d'un squelette.

INDEX